Der silberne Quell: Band 46

ROMANISCHE GLASFENSTER

ZWÖLF FARBTAFELN

EINGELEITET VON HEINZ PETERS

 DER SILBERNE QUELL

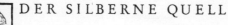

BEI WOLDEMAR KLEIN

© 1959 by Woldemar Klein Verlag · Baden-Baden
Druck des Textes: Franz W. Wesel, Baden-Baden
Druck der Farbtafeln: Chr. Belser, Stuttgart
Printed in Germany

„Wenn du gläserne Fenster zusammensetzen willst, so bereite dir vorerst eine Holztafel, eben und so lang und breit, daß du die Fläche eines und desselben Fensters zweimal darauf machen kannst; nimm Kreide, schabe mit dem Messer von derselben über der ganzen Tafel hin, sprenge überall Wasser darauf und verreibe es gänzlich mit dem Tuche. Wenn es nun trocken wurde, nimm das Maß von der Länge und Breite eines Fensters und entwirf auf dem Brette dieselbe nach Lineal und Zirkel mittelst Blei oder Zinn, und wenn du einen Saum daran haben willst, ziehe ihn in beliebiger Breite und Ausführung und nach deinem Willen gearbeitet. Ist das getan, so entwirf die Bilder, so viel du willst, vorerst mit Blei oder Zinn, dann mit roter oder schwarzer Farbe, wobei du alle Linien sorgfältig machst, weil es dann, wenn du sie auf dem Glase malst, notwendig ist, nach der Tafel die Schatten und Lichter zu vereinigen. Hierauf, indem du die Mannigfaltigkeit der Gewänder verteilst, merke nun die Farben an, jede an ihrer Stelle, und für das andere, so du immer malen willst, bezeichne die Farbe mit einem Buchstaben. Dann nimm ein Bleigefäß, worin mit Wasser verriebene Kreide kommt, mache dir zwei oder drei Pinsel von Haar, entweder vom Schwanze des Marders, oder des Grisiums, oder Eichhörnchens, oder der Katze, oder von der Mähne des Esels. Nimm ein Stück Glases von welcher Art du willst, welches nur aber größer sei als der Raum, auf den es zu legen ist, bringe es auf die Fläche dieses Raumes und so wie du durch das Glas hindurch auf der Tafel die Züge erblickst, ziehe sie mit Kreide an dem Glase, jedoch nur die äußeren, und wenn das Glas zu dicht wäre, so daß du die Linien auf der Tafel nicht durch das Glas erblicken könntest, so nimm ein weißes Glas, zeichne die Linien auf diesem durch und dann, wenn sie trocken sind, lege das dichte auf das weiße, welches du gegen das Licht hältst und, wie du sie durch erblickst, führe die Linien aus. Auf dieselbe Art wirst du alle Gattungen Glas, sei es bei den Gesichtern, sei es bei den Gewändern, Händen, Füßen, Säumen, oder an welcher Stelle immer du die Farben anbringen willst, zeichnen."

Im 17. Kapitel des zweiten Buches der lateinisch geschriebenen „Schedula diversarum artium" (Abhandlung über verschiedene Künste) steht diese Anleitung zum Anfertigen von Glasfenstern. „Theophilus, der niedere Priester, Knecht der Knechte Gottes, des Namens und Amts eines Mönches nicht würdig", ist der Verfasser dieser „Schedula", des berühmtesten Lehrbuches der Technik der Künste aus dem ganzen Mittelalter. Neben der Malerei und der Goldschmiedekunst wendete sich Theophilus der Theorie der Glasmalerei zu, indem er Rezepte und grundsätzliche Lehren für einen Zweig der Kunst ausbreitete, der erst wenige Jahrzehnte vor seiner Geburt „erfunden" und jedenfalls für das Abendland noch ganz jung und neu war. Jener Theophilus Presbyter war vermutlich Mönch des Benediktinerklosters Helmarshausen (Nord-Hessen, Krs. Hofgeismar). Seine Tätigkeit wird von der Forschung um das Jahr 1100 angesetzt. Über die Person des mittelalterlichen Theoretikers weiß man so gut wie nichts. So ist es auch immer noch strittig, ob man Theophilus mit jenem bedeutenden Goldschmied „Rogerus von Helmarshausen" identifizieren darf, von dem der kostbare Tragaltar im Paderborner Dom (gestiftet 1100) gearbeitet worden ist.

*

Fenster hatten von altersher die Funktion, Luft und Licht in das Innere eines Gebäudes hineinzulassen. Erst die Griechen füllten die Fensteröffnungen mit Gitterwerk oder Geflecht, und die Römer waren die ersten, die hierfür flaches Glas verwendeten. Doch spielte bis in das frühe Mittelalter hinein die Fensterverglasung nur eine bescheidene Rolle. Zur Zeit Karls des Großen scheint es bereits üblich gewesen zu sein, Gläser verschiedener Farben zu einem Glasmosaik zusammenzusetzen. Wann damit begonnen wurde, Darstellungen auf farbigen Glasfenstern anzubringen, läßt sich nicht genau festlegen, wenngleich die Zeit um die Jahrtausendwende bereits sichere Anhaltspunkte für das Vorhandensein von Glasgemälden in Kirchen liefert. An welchem Ort die neue Kunstgattung „erfunden" wurde, ist auch heute noch eine offene Frage.

Die ältesten deutschen Farbfenster, die erhalten sind, stammen aus der Zeit um 1100. Aber erst im Verlauf des 12. Jahrhunderts erreichte die Glasmalerei ihre volle Blüte. Dome, Kloster- und Pfarrkirchen wurden zu einer Zeit, als man für die Fenster der Bürgerhäuser Glas überhaupt noch nicht verwendete, mit großartigen Farbverglasungen ausgestattet. Den größten Schatz an Glasmalereien besitzt Frankreich; in Deutschland ist viel von dem ehemals Vorhandenen im Laufe der Jahrhunderte verlorengegangen. Erst aus der Zeit um 1200 und aus der ersten Hälfte des 13. Jahrhunderts sind deutsche Farbfenster in größerer Zahl erhalten, vor allem in den Rheinlanden. Dort entstanden Meisterwerke von faszinierender Schönheit und magischer Wirkung, die zu den bedeutendsten Zeugnissen einer großen Vergangenheit gehören.

*

Das 12. Jahrhundert bringt entscheidende Wendungen in der Geschichte der deutschen Architektur. Am Rhein entstehen die gewaltigen Kaiserdome in Speyer, Worms und Mainz, deren Baukörper am Ende dieses Jahrhunderts ihre endgültige Gestalt erhalten. Das Fenster wird in erhöhtem Maße zum bestimmenden Gliederungsmittel der steinernen Baumasse. Es gehört zur Tragik der deutschen Kunstgeschichte, daß die ursprünglichen Verglasungen der genannten Dome zerstört sind; denn gerade sie hätten über die Kunst der romanischen Glasmalerei die entscheidende Aussage geliefert. Um so mehr Bedeutung kommt den wenigen Scheiben zu, welche die Zeiten überdauert haben.

Im Rheinland ist der einzige Glasmaler dieser Epoche beheimatet, dessen Name überliefert ist: Gerlachus. Seine Wirksamkeit fällt in die Jahre 1170/80, jedenfalls sind aus dieser Zeit sechs Scheiben erhalten, aus der sich die künstlerische Eigenart des Meisters ablesen läßt. Höchst überraschend darf es genannt werden, daß sich Gerlachus selbst in seinem „Moses-Fenster" (vgl. Abb. 8) dargestellt hat. Es bleibt fraglich, ob dieses Bild auch nur in etwa individuelle Züge zeigt. Erstaunlich ist es aber in jedem Falle, daß ein Künstler des 12. Jahrhunderts an so exponierter Stelle seine Bild-Signatur anbringt, die ihn nicht im demütigen Gebetsgestus zeigt, sondern als Mann von Welt und Stand bei seiner Arbeit. Allein dieses Selbstbildnis würde uns zu Recht darauf schließen lassen, daß Gerlachus in seiner Zeit ein bekannter, ja berühmter Glasmaler gewesen sein muß.

Die Ausstrahlungen dieses außergewöhnlichen Meisters reichen denn auch, wie die jüngere Forschung festgestellt hat, bis in das Zentrum der romanischen Glasmalerei am Rhein, bis Straßburg. In der Verglasung der spätromanischen Ostteile des Münsters sind heute noch Scheiben erhalten, deren stilistische Eigentümlichkeiten eine Verbindung mit dem Werk des Gerlachus vermuten lassen, allerdings ohne daß ein Schulzusammenhang im engeren Sinne konstruiert werden könnte. Neben solchen Übereinstimmungen (vgl. Abb. 5, 2) wird französischer Einfluß erkennbar. Straßburg war schon damals Drehscheibe zwischen Ost und West. Als von der Straßburger Werkstatt abhängig erweist sich auch die kleine Scheibe „Simson mit dem Stadt-Tor von Gaza" (Abb. 11), die aus dem Benediktinerkloster Alpirsbach (Schwarzwald) stammt und der gleichen Zeit, um 1200, angehört.

Daß in Straßburg ein Glasmaler mit seiner Werkstatt tätig war, der unabhängig von Gerlachus gearbeitet hat, geht aus mehreren erhaltenen Fensterverglasungen hervor, zu denen der „Thronende Herrscher" (Abb. 1) gehört. Die nächste Generation der Straßburger Glasmaler tritt uns in der Doppelscheibe mit Salomo und der Königin von Saba (Abb. 4) entgegen, einer Arbeit, die zum Fensterschmuck des nördlichen Querschiffs gehört und die letzte Phase spätromanischer Glasmalerei deutlich macht (entstanden um 1220—30). Die Zeit des Übergangs vom romanischen zum gotischen Stil repräsentiert in großartiger Weise der Zyklus von achtundzwanzig Darstellungen deutscher Könige und Kaiser, aus dem hier das Brustbild eines jugendlichen Herrschers (Abb. 3) reproduziert ist.

In der romanischen Epoche gab es in den zum Deutschen Reich zählenden Teilen der Schweiz viele Glasmalereien, die in den einheitlichen Kulturzusammenhang gehören. Besonders mit der Kunst des Bodenseegebietes und des Elsaß bestanden enge Verbindungen.

Als das älteste Glasgemälde auf Schweizer Boden gilt eine um 1200 entstandene Thronende Madonna (Abb. 9), die aus einer Bergkapelle oberhalb Flums (Kanton St. Gallen) stammt und über die Buchmalerei mit der Kunst der Rheinlande verknüpft ist.

Das zweite Beispiel aus der großen Zahl erhaltener Schweizer Glasfenster ist eine Rundscheibe mit der Darstellung des Monats August (Abb. 12). Das Medaillon befindet sich in der Fensterrose im südlichen Querschiff der Kathedrale von Lausanne (Kanton Waadt) und ist um 1230 zu datieren. Die Waadt, politisch seit 1032 beim Deutschen Reich, ist burgundisches Stammland und als solches sowohl romanischen wie germanischen Einflüssen offen gewesen. Gerade in der hier behandelten Zeit der Staufer bestanden enge Bindungen dieses Landstrichs zum Reich, die auch in der Kunst ihren Niederschlag gefunden haben. Dem Inhalt nach kommt der Medaillonscheibe insofern besondere Bedeutung zu, als sie zu den frühesten Beispielen gerechnet werden muß, in denen weltliche Thematik im Fensterschmuck des Kirchengebäudes Eingang fand.

*

Neben Straßburg gebührt Köln in der Geschichte der romanischen Glasmalerei ein wichtiger Platz. Hier ist es die alte Stiftskirche St. Kunibert, welche die bedeutendsten rheinischen Glasmalereien des romanischen Stils besitzt. Ihre Entstehungszeit ist annähernd bestimmt, da wir wissen, daß die Ostteile, Chor und Querhaus, in den Jahren 1215—1226 gebaut worden sind.

Der archaisch-strenge Stil des Meisters Gerlachus oder auch der frühen Straßburger Fenster ist aufgegeben zugunsten einer stärkeren szenischen Bewegtheit. Vielleicht muß auch hier (Abb. 6) französisch-gotischer Einfluß angenommen werden, zumindest Kenntnis des französischen Medaillontypus, der vielfigurige Szenen in einem großen Fensterband zusammenfaßte.

Die zögernde Hinwendung zum Gotischen wird noch deutlicher in einer Kölner Scheibe aus ungefähr gleicher Zeit mit einer Darstellung der Krönung Mariens (Abb. 10). Schon in St. Kunibert hatte es Darstellungen von Stiftern gegeben. In der Kölner Scheibe unbekannter Provenienz jedoch wird das Stifterthema deutlicher angeschlagen und zum vollgültigen „Bild" umgesetzt. Die untere Zone des Fensters ist den beiden in anbetender Haltung verharrenden Stiftern durch eine Doppelarkade und die rahmende Architektur ausdrücklich vorbehalten. Man erinnert sich der Mosesscheibe (Abb. 8), in der sich Meister Gerlachus mit ähnlicher Selbstverständlichkeit einen eigenen Aktionsraum geschaffen hat, der durch ornamentale Rahmung vom biblischen Bildgeschehen deutlich getrennt war.

Schließlich sei eines Propheten-Fensters aus Lohne (Westfalen) gedacht, von dem einige Scheiben erhalten sind. Westfalen stand den rheinischen Einflüssen ebenso offen wie Impulsen aus den mitteldeutschen Landschaften. Jedenfalls scheint auch beim Künstler des westfälischen Prophetenfensters kein Widerstand mehr gegen die andrängende Gotik bestanden zu haben. Immerhin hatte man ja, als die Lohner Scheiben entstanden, mit dem Bau des gotischen Kölner Domchors begonnen, der ein neues Zeitalter der Architektur — und damit auch der Glasmalerei — in den Rheinlanden einleitet.

*

Über das „wunderbare" Erleben der ersten farbigen Verglasungen unterrichtet eine Briefstelle des Abtes Gozbert von Tegernsee (983—1001), späteren Bischofs von Hildesheim: „Die Fenster unserer Kirche waren bisher mit Tüchern ver-

hängt, in Euren glücklichen Zeiten aber strahlte die gold-
gelockte Sonne zum ersten Male durch verschiedenfarbige
Gläser Gemälde auf den Fußboden, und alle, die dies sehen,
erfüllt große Freude, und sie wundern sich über die Mannigfaltigkeit des ungewohnten Werkes." Die Einbeziehung
des „ungewohnten Werkes" in die Realität der Architektur,
des Kirchengebäudes, eröffnet, ebenso wie die Einbeziehung
der Bauplastik und der Wandmalerei, nicht nur neue künstlerische, sondern auch neue theologische Perspektiven. Mit dem
figürlich gestalteten Glasfenster verändert sich der „Realitäts-
charakter" des Kirchengebäudes, es weitet sich sein Symbol-
wert aus. Thomas von Aquin (1224/25—1274) hat in seiner „Summa theologica" bereits auf die Mittlerstellung des
Kirchengebäudes zwischen Diesseits und Jenseits hingewiesen, wenn er formulierte: „domus, in qua sacramentum cele-
bratur, ecclesiam significat et ecclesia nominatur" (Das Haus
Gottes, in dem das Altarsakrament gefeiert wird, heißt nicht
nur Kirche, sondern bedeutet auch Kirche). In diese Be-deu-
tung müssen auch die Glasmalereien einbezogen werden. Sie
besitzen unabhängig von ihrem Thema und über die er-
kennbare Bilddarstellung des einzelnen Fensters hinaus eine
zweite, in der Symbolik des Kirchengebäudes begründete
Realität, die zu berücksichtigen ist.

Das Kirchengebäude ist „Abbild" des Himmels. Zur Realisie-
rung dieses „Bildes" vereinigen sich alle Künste, auch die
Glasmalerei, mit der Architektur. Dem Glasfenster fällt in
der mittelalterlichen Ideenwelt sogar eine der Hauptaufga-
ben dieser Vergegenwärtigung zu. Das Glas ist das Licht,
das Fenster die Quelle des Lichtes. Aus diesem einfachen
Gedanken geht bereits die spirituelle Funktion des Kirchen-
fensters hervor. Der transzendente Charakter des Lichtes
tritt im Glasfenster sichtbar in Erscheinung. Schon im Alten

Testament (1. Mos. 1, 3; Psalmen) finden sich Hinweise auf die Lichtsymbolik, die in romanischer Zeit so handgreifliche Gestalt gewinnt. Und das Neue Testament ist voll von Hinweisen auf das Licht als Quelle des Heils, als Ort und Wesenheit Gottes (Joh. 1, 4—9; Luk. 2, 32; Geh. Off. 21, 18 ff.; 1. Thimoth. 6, 16).

Nicht nur Architekten, Glasmaler und die an der Planung beteiligten Kleriker griffen seit dem 12. Jahrhundert solche im Grunde lange bekannten Überlegungen auf. Auch in der deutschen Dichtung des 12. und 13. Jahrhunderts spielt die Lichtsymbolik eine besondere Rolle und wird nicht ohne Einfluß auf die bildenden Künstler geblieben sein. (Vgl. u. a. Mechthild von Magdeburg: „Das fließende Licht der Gottheit", um 1250). In der Literatur erscheint auch bereits das Bild von den „leuchtenden Wänden", eine Interpretation, deren Wichtigkeit für die Beurteilung mittelalterlicher Glasmalerei noch mit ein paar Worten unterstrichen sei.

Ist das Glasfenster Öffnung oder Abschluß? Diese Frage unter dem Gesichtswinkel des Baumeisters beantworten, heißt, sich für das erstere entscheiden: neben bzw. in die Mauermasse tritt das Ungemauerte, dem Einfall des Lichtes Geöffnete. Für die deutende Betrachtungsweise der Architektur-Geschichte ist das gemalte Glasfenster jedoch auch abschließende Wand. Das Glasfenster des Mittelalters ist in die Architektur einbezogen. Mauer u n d Fenster begrenzen den Kirchenraum gemeinsam. Neben das steinerne Mauerwerk tritt gleichberechtigt die „leuchtende Wand", das Glasfenster. Sedlmayr hat bereits darauf hingewiesen, daß seit etwa 1200 ein Prozeß in der Kirchenarchitektur einsetzt, den er „Verwandlung der Wand in leuchtende Materie" nennt. Höhepunkt dieser Entwicklung ist in der gotischen Zeit die „gläserne" Sainte-Chapelle in Paris. Unter diesem

Blickpunkt bilden die auf den Glasfenstern dargestellten Propheten und Heiligen einen Teil der Kirchenmauer, verkörpern sie die „himmlische Zone" im Kirchengebäude, die sich wie ein Kranz um den ganzen Innenraum herumzieht. Das Göttliche, Himmlische hat sich im Licht der gläsernen Mauer dem menschlichen Bereich genähert und verbunden. So verwandelt die Glasmalerei den Charakter der Architektur, und die Architektur verhilft in ihrer Abbildlichkeit der Glasmalerei zu einer doppelten, über den Bildsinn hinausgehenden Bedeutung. Nachdem diese neue Funktion der Glasmalerei im 12. Jahrhundert erkannt und gewollt war, konnte man, wie bei der Bauplastik, an die Ausarbeitung großer Bilderprogramme gehen, von deren Existenz vornehmlich die gotischen Kathedralen Frankreichs beredtes Zeugnis ablegen.

Für die mittelalterliche Religiosität bedeuteten die Glasgemälde — unabhängig von ihrem selbständigen Bildinhalt — eine jener geheimnisvollen Nahtstellen, an denen sich Diesseitiges mit Übersinnlichem berührt. Das gemalte Fenster in der mittelalterlichen Kirchenarchitektur ist Bild und sinnbildliches Zeichen zugleich. Es läßt sich auf zwei Arten interpretieren: Für sich betrachtet, bleibt das Glasgemälde Bild, das aus bestimmten künstlerischen Gesetzmäßigkeiten lebt und etwas Bestimmtes darstellt. Im Zusammenhang gesehen, werden die Bilder, bezogen auf die Bedeutung der Architektur, „spiritualia sub metaphoris corporalium": geistige Dinge im körperlichen Gewand. In der durchlichteten Glut der Farben scheint im Glasgemälde das Überirdische in greifbare Nähe gerückt.

1. Thronender Herrscher

Zweiteiliges Fenster, vielleicht aus der Emporenkapelle im Westwerk des alten Straßburger Münsters. Jetzt im Frauenhaus-Museum, Straßburg. Um 1200.

Könige und Kaiser pflegten im Mittelalter, wenn sie in den großen Kirchen dem Gottesdienst beiwohnten, in einer Emporenkapelle Platz zu nehmen, die eigens für sie bestimmt und im Westen der Kirche gelegen war. Im Osten stand der Altar. So weilte der Mächtige im Angesicht des Allmächtigen. Das Glasgemälde stellt einen deutschen Kaiser dar. Als sein Bildnis, als Zeichen der weltlichen Macht, stand es hoch in der Westwand stellvertretend für die Person des Kaisers selbst, der sich nur selten in der Emporenkapelle aufhielt. In strenger Frontalität sitzt der lebensgroße Herrscher — man hat an Karl den Großen oder Heinrich II. gedacht — auf dem Thron.

Blau und Rot sind die dominierenden Farben, denen die anderen Farben dekorativ untergeordnet sind. Die reiche Stickerei des kaiserlichen Gewandes entspricht der Ornamentik der kaiserlichen Krone. Die Köpfe der beiden Paladine zur Rechten und Linken sind spätere Ergänzungen.

2. Johannes Evangelista

Teilstück aus einem Fenster im nördlichen Querschiff des Straßburger Münsters. Um 1200.

Die Doppelscheibe enthält die beiden Johannes, von denen unsere Abbildung nur Johannes den Apostel zeigt. Der Täufer und der Evangelist sind in der Kunst des Mittelalters häufig zusammen dargestellt. Auch im Kranze der Straßburger Münsterfenster erscheinen sie in einem Panneau nebeneinander. Eine so nahe Verbindung war jedoch ursprünglich nicht vorgesehen. Es handelt sich vielmehr um

zwei Einzelfenster, die in der alten Johanneskapelle an-
gebracht waren und erst nach deren Abbruch ihren heutigen
Standort erhielten.

Auf roten Postamenten erheben sich die schlanken Gestalten
der Heiligen vor dem tiefblauen Grunde, der hinter einer
Art Balustrade mit stilisierten Ranken aufleuchtet. Ein-
gerahmt von zierlichen Rundpfeilern, über denen halbrunde
Arkaden aufsteigen, wachsen die Figuren ins Monumentale.
Der Bußprediger, im zottigen Gewand, mit langwallendem
Haar und gekräuseltem Bart, erhebt mahnend die Hand.
Umschrift und Schriftrolle weisen auf seine Geschichte als
Vorläufer und Wegbereiter des Herrn hin. Der sehr männlich
wirkende Apostel, einst ein Schüler des Täufers, schaut visio-
när in die Ferne. Auf der Schriftrolle ist der geheimnisvolle
Prolog seines Evangeliums zu erkennen.

Wie mittelalterliche Glasmaler farbig zu komponieren ver-
standen — in dieser prachtvollen Doppelscheibe wird es er-
kennbar. Aus dem Steingrau der rahmenden Architektur
lösen sich die satten Farben, leuchtet herrlich das Gold,
schwebt das azurene Blau, glüht das Rot, mit dem das Grün
der Gewänder kontrastiert. Stille Feierlichkeit umgibt die
statuarisch einfach aufgefaßte Gestalt des Sehers der Apo-
kalypse.

3. Kopf eines jugendlichen Königs
Teil aus einem Königsfenster im nördlichen Seitenschiff des
Straßburger Münsters. Nach 1275.
Die neuesten Forschungen haben die jugendliche Gestalt,
die zusammen mit achtundzwanzig Königen und Kaisern in
Glasgemälden des Straßburger Münsters dargestellt ist, als
den späteren Kaiser Heinrich III. identifiziert. Konrad II.,
sein Vater, legt ihm die schützende Hand auf die Schulter.

Das gekrönte Haupt Heinrichs III. ist von einem blauen Nimbus umgeben; in seiner Linken hält er ein Zepter. Der sich öffnende Mantel gibt ein Stück des blauen Gewandes frei. Das ausdrucksvolle Gesicht zeigt ritterliche Züge. Die strenge Schönheit der romanischen Kunst wird in diesem großformatigen Ausschnitt deutlich.

4. Salomo und die Königin von Saba

Aus einem Fenster im nördlichen Querschiff des Straßburger Münsters; später seitlich beschnitten. Um 1220.

Das Alte Testament (3. Könige 10, 1—13 und 2. Chronik 9, 1—12) berichtet, daß die Königin von Saba, die an die vielgerühmte Weisheit des Königs Salomo nicht glauben wollte, mit großem Gefolge aus dem südlichen Arabien nach Jerusalem kam, um ihn auf die Probe zu stellen.

Die unter dem Doppelbogen sich gegenüberstehenden Gestalten stellen diese Begegnung dar. REGINA · AVSTRI(A) · VENIT · »Die Königin aus dem Süden kommt«, so verkündet ein Schriftband. Ein weiteres Schriftband, dessen Text INITIVM · SAPIENTI · [AE] lautet, charakterisiert Salomo als den Verfasser des Buches der Weisheit.

Die Farbwirkung des Glasgemäldes ist vornehmlich auf die Nachbarschaft von Blau und Rot gestellt. Alle übrigen Farben, warmes Goldgelb, grün, wurden diesem Klang untergeordnet. Der Kopf der Königin und die linken Hände beider Figuren stammen aus neuerer Zeit.

5. Das Urteil des Salomo

Aus einem Fenster im nördlichen Querschiff des Straßburger Münsters. Um 1220.

Das Urteil des Salomo (3. Könige 3, 16—28) wird in einer

Folge von drei Scheiben des Straßburger Münsters geschildert. In der hier gezeigten letzten Szene befiehlt der König mit zwingender Geste, das Kind seiner rechtmäßigen Mutter zurückzugeben.

Salomo ist in dieser Gruppe der Größte, der Herrschende, dessen Macht durch das dominierende Rot farbig deutlich gemacht wird. Ein Diener trägt das Königsschwert, das eine bedeutsame Rolle im Ablauf dieser biblischen Geschichte spielt. Während die weißgekleidete Frau unwillig das Kind aus der Hand läßt und mit forderndem Blick dem Urteil zu widersprechen scheint, drückt die wahre Mutter das wiedergewonnene Kind an ihr Herz.

Der Künstler hat in kühnem Kontrast große Farbflächen nebeneinandergesetzt, die in ihrer Wirkung durch das leuchtende Blau des Hintergrundes und das rundum geführte grüne Rankenwerk noch gesteigert werden.

6. A b s c h i e d d e s H e i l i g e n K u n i b e r t

Ausschnitt aus einem Fenster mit Darstellungen aus der Legende des Heiligen im Chor der Kirche St. Kunibert in Köln. Um 1220.

Heldentum ist eines der größten Ideale im hohen Mittelalter. In dem hier wiedergegebenen Ausschnitt aus dem Kölner Kirchenfenster nehmen zwei heldische Menschen voneinander Abschied. König Chlotar II. sitzt, von seinen Knappen umgeben, auf dem Thron, als sein Jugendfreund Kunibert zu ihm kommt, um sich zu verabschieden. Der fränkische Edelmann hat sich entschlossen, Priester zu werden. Später wird man ihm das hohe Amt eines Bischofs von Köln übertragen.

Der Ausschnitt zeigt die Umarmung der Freunde. Überraschend, wie es dem Maler gelungen ist, in dem Ausdruck

der Gesichter den Ernst der Empfindung darzustellen.
Der Künstler wirkte in der Glanzzeit des Minnesangs und
der höfischen Epik. Man wird vor diesen Gestalten an die
männlich-reine Lyrik Walthers von der Vogelweide erinnert.

7. P r o p h e t

Aus einem Fenster der Kirche zu Lohne b. Soest (Westfalen).
Jetzt im Landesmuseum Münster. Um 1250.

Die Scheibe ist ein Stück eines größeren Prophetenfensters
mit einer Darstellung der „Wurzel Jesse". Es zeigt im ganzen
sechs Propheten. Mehrere der ihnen beigegebenen Spruch-
bänder tragen Texte aus Isaias, die auf den Messias hinwei-
sen; es ist also fraglich, wer Isaias selber ist. Das Spruchband
der hier abgebildeten Figur weist auf Is. 11, 1, hin. „EGRE-
DIET · VIRGA · DE · RADI CES · F" (Ein Reis wird
sprossen aus der Wurzel Jesse). Der Künder dieser Weis-
sagung erscheint unter einer schmalen Arkade als ernst-
blickende, ruhig verharrende Gestalt. Das Haupt umgibt ein
reichverzierter Heiligenschein, der golden vor dem Rot der
Nische aufleuchtet. In großen Schwüngen verhüllen die als
Zeichen innerer Erregtheit zu interpretierenden Falten von
Mantel und Kleid die aufgereckte Figur. Auch der gespannte
Blick und eine leichte Wendung des Kopfes nach rechts zeu-
gen von der eifernden Anteilnahme des Gottesmannes.
Besondere Beachtung verdient bei dieser stilistisch an der
Grenze zur Gotik stehenden Scheibe das dekorative Band,
welches die einzelnen Teile des ganzen Fensters wie ein Rah-
men zusammenfaßte. An der Außenseite eines helltonigen
Mäanderbandes läuft ein Fries von Palmettensträußen in
Blau, Grün, Gelb-Gold und Weiß entlang. Die freibleiben-
den Zwickel füllen rote Gläser, die den Eindruck reicher,
satter Farbigkeit wirkungsvoll unterstreichen.

8. Moses vor dem brennenden Dornbusch

Aus einem Moses-Fenster, das wahrscheinlich aus der Prä-monstratenser-Abtei Arnstein an der Lahn stammt. Jetzt im Städelschen Kunstinstitut, Frankfurt (Main), als Leihgabe des Grafen Kanitz, Schloß Kappenberg (Westfalen).
Um 1170.

In der untersten Scheibe eines dreiteiligen Moses-Fensters wird das Wunder vom brennenden Dornbusch (2. Mosis 3 und 4) dargestellt. Gott erscheint Moses und befiehlt ihm, die Schuhe auszuziehen, „denn der Ort, darauf Du stehst, ist ein heilig Land". Moses hält in der Linken die Schlange, die sich auf Gottes Geheiß in seinen Stab zurückverwandelt.

Die Scheibe wurde geschaffen von einem der bedeutendsten Glasmaler der romanischen Zeit, von welchem wir nur den Vornamen, Gerlachus, kennen. Das Fenster ist in den Farben Goldgelb, Grün und Rot eindringlich komponiert. Einge-rahmt von den gleichen Farben, stellt sich der Maler in blauem Umhang mit Farbtopf und Pinsel selbst dar. Naive Frömmigkeit zeigt sich in dem umlaufenden Text, der zu deutsch dem Sinne nach lautet: „Herrlicher König aller Kö-nige, sei dem Gerlachus gnädig." Die Schrift am unteren Rand (+ VIR . . . ATVR) ist unvollständig. Vermutlich be-zieht sie sich auf Moses, den „Mann Gottes".

9. Maria mit dem Kind

Aus einem Fenster der St.-Jakob-Kapelle bei Flums. Jetzt im Schweizerischen Landesmuseum, Zürich. Um 1200.

Die Scheibe mit der thronenden Madonna schmückte einst das einzige Fenster in der Ostwand einer Bergkapelle und gilt als das älteste Glasgemälde auf Schweizer Boden. Stili-stisch weist das Fenster auf Schwaben und die Bodensee-gegend hin. Man hat später die Umrahmung hufeisenförmig eingezogen und das Gesicht der Madonna übermalt, doch ist

*die feierliche Monumentalität der Darstellung dadurch nicht
berührt worden.*

*In strenger Frontalität sitzt Maria auf einer Thronbank. Ob-
wohl sie in ihrer Rechten einen Apfel für das göttliche Kind
hält und somit eine mütterliche Beziehung zum Jesusknaben
hergestellt ist, neigt sie sich ihm weder zu noch sieht sie ihn
an. Wie es auf den strengen Darstellungen der romanischen
Zeit üblich ist, bleibt auch das Kind in der Vereinzelung.
Zwar sind die Augen auf den Apfel gerichtet, aber es greift
nicht danach, sondern erhebt segnend die rechte Hand, während die Linke ein Buch hält. Über dem Nimbus der Gottes-
mutter erscheint die Taube des Hl. Geistes.*

*Blattgerank, Palmetten und farbige Rosetten bilden den Rah-
men um die sehr plastisch wirkende Gruppe, die am oberen
Rand „S C A (sancta) M A R I A" betitelt ist. Mit nur drei
Farben, Rot, Blau und Gelb, sowie dem getönten Weiß wirkt
die Scheibe ganz konzentriert, ein erhabenes Bild in wohl-
klingendem Farbakkord.*

10. K r ö n u n g M a r i e n s

Aus einer Kirche in Köln oder seiner näheren Umgebung.
Jetzt im Schnütgen-Museum in Köln. Um 1220.

*Die Scheibe gehörte zu einem Marienzyklus, von dem noch
ein M a r i e n t o d , im gleichen Museum, erhalten ist. Der
Hintergrund ist im späteren Mittelalter eingesetzt, der Engel
in neuerer Zeit ergänzt.*

*Die Komposition läßt eine Auflockerung des strengen roma-
nischen Stils erkennen. Ein neues Gefühl für das Körper-
liche zeigt sich in der Behandlung der Gewänder. Um die
Faltenzüge deutlicher zu machen, wird die Schwarzlotzeich-
nung reichlicher verwendet. Die Gesichter jedoch bleiben
noch beim umrißhaft Andeutenden.*

*Besondere Bedeutung erhält die Scheibe durch zwei in einer
Sockelzone kniende Stifterfiguren: Theoderus und Gertru-
dis, ein Ehepaar, erheben die Hände zu Christus und Maria.
In dieser Gebetsgeste pflegt die mittelalterliche Kunst den
Stifter darzustellen, der am Geschehen des Hauptbildes teil-
nehmen darf.*

11. Simson mit dem Torflügel von Gaza

Aus einem Fenster der Benediktiner-Abteikirche Alpirsbach
(Schwarzwald), jetzt im Württembergischen Landesmuseum,
Stuttgart. Um 1200.
*In einer zweigeteilten Medaillonscheibe schildert der Glas-
maler eine Begebenheit aus dem tatenreichen Leben Simsons,
des „christlichen Herakles". Auf der linken Hälfte des Bildes hebt Simson einen der Flügel aus den Angeln des mit
vielen Ziermotiven geschmückten Stadttores. Auf der rechten
Seite ist dann dargestellt, wie er die schwere, für ihn aber
leichte Last auf den Berg Hebron trägt.*
*Die Scheibe, von einem der Straßburger Münsterwerkstatt
nahestehenden Künstler geschaffen, zeichnet sich durch Ein-
fachheit der Formen und durch Leuchtkraft der Farben aus.
Im Gegensatz zu der detaillierten Architektur ist die „Land-
schaft" nur eben angedeutet.*

12. Der Monat August

Medaillonscheibe aus der Fensterrose im südlichen Querschiff
der Kathedrale von Lausanne. Um 1230.
*In romanischer Zeit begannen — wie in der Kathedral-
plastik so auch in der Glasmalerei — weltliche Themen in
die kirchliche Kunst einzudringen. Beliebte Darstellungen
dieser Art waren die „Monatsbilder", in denen der Ablauf
des Jahres durch ländliche Arbeiten sinnfällig gemacht wurde.*

Die hier wiedergegebene Scheibe zeigt einen Bauern, der Getreide drischt. Vor dem blauen Grund heben sich die dekorativ zusammengefaßten und farblich abwechslungsreich behandelten Garben und Schollen wirkungsvoll ab. Der gelbe Scheffel — vielleicht ist auch eine Getreideschwinge gemeint — steht wie ein Mond zwischen dem Rot des Randes und dem satten Blau des Hintergrundes.

Der Drescher personifiziert den Monat August, der im frühen Mittelalter Erntemond, später, lateinisch, Augustus oder, wie in der Scheibe, Augst(mond) heißt.

1

2

4

5

6

8

9

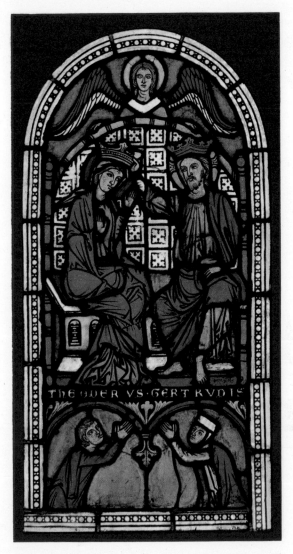

11

12